Storïau Bob Eynon o Wasg y Dref Wen

I BOB OEDRAN

Ffug-wyddonol
Y Blaned Ddur

Antur a Rhamant (gyda geirfa)
Y Ferch o Berlin *
Y Bradwr *
Bedd y Dyn Gwyn *
Lladd Akamuro

Gorllewin Gwyllt (gyda geirfa)
Y Gŵr o Phoenix *

Dirgelwch: Cyfres Debra Craig (gyda geirfa)
Perygl yn Sbaen
Y Giangster Coll
Marwolaeth heb Ddagrau

Yng Nghyfres Llinynau
Y Giang

I BOBL IFANC
(gyda lluniau du-a-gwyn)
Dol Rhydian
Yr Asiant Cudd
Crockett yn Achub y Dydd
Trip yr Ysgol
Yn Nwylo Terfysgwyr
Castell Draciwla
Arian am Ddim

* *hefyd ar gael ar gasét yng nghyfres*
LLYFRAU LLAFAR Y DREF WEN

Y Bradwr

Bob Eynon

DREF WEN

Cyhoeddwyd gan Wasg y Dref Wen,
28 Ffordd yr Eglwys,
Yr Eglwys Newydd, Caerdydd CF14 2EA
Ffôn 029 20617860

Argraffwyd ym Mhrydain.
Argraffiad cyntaf 1991
Adargraffwyd 2000

I'm hen ffrind Jack Dromey

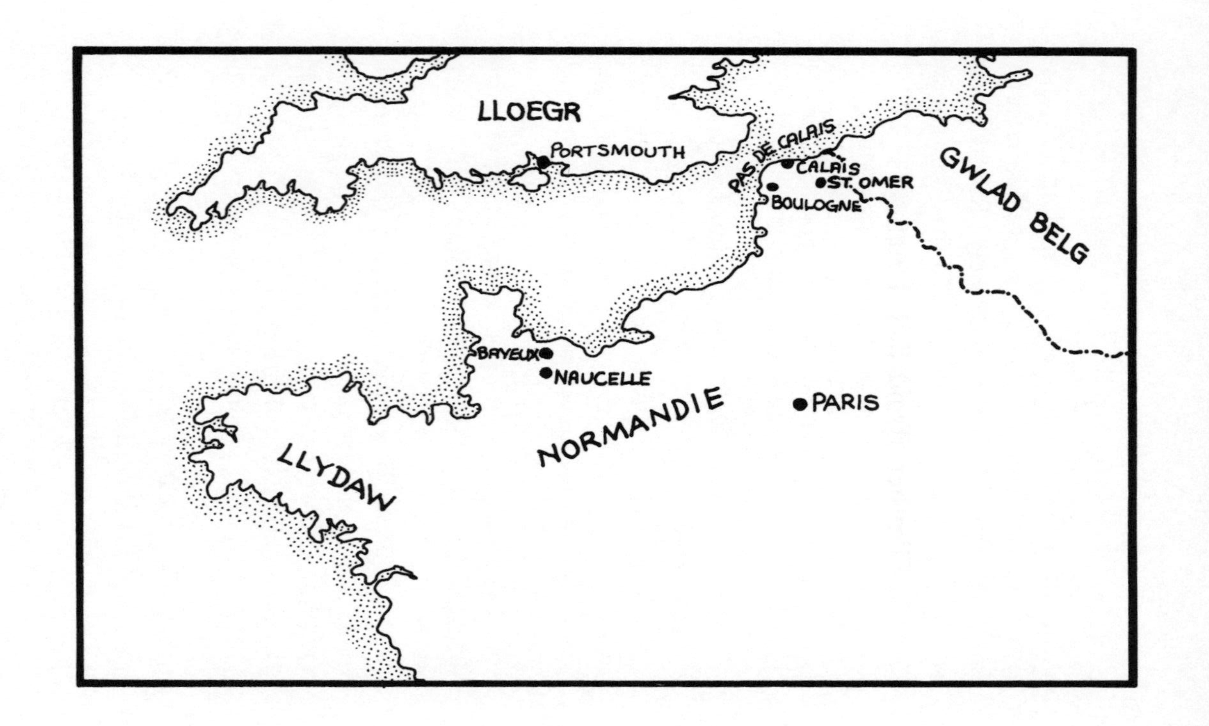
LLOEGR
PORTSMOUTH
PAS DE CALAIS
CALAIS
ST. OMER
BOULOGNE
GWLAD BELG
BAYEUX
NAUCELLE
NORMANDIE
PARIS
LLYDAW

1.

Daeth John Edwards yn ôl i'w ystafell ar ôl cymryd cawod boeth. Agorodd y drws a gwelodd ddarn o bapur ar y bwrdd wrth ochr ei wely. Roedd e wedi gadael popeth yn daclus; felly roedd rhywun wedi dod i mewn i'r ystafell tra oedd e'n cymryd y gawod.

Estynnodd am y darn papur a darllen,

"Gêm o *poker* yn ystafell 18. Oes diddordeb gennych? — Tripp."

Taflodd y papur i'r fasged wrth ochr y bwrdd.

"Pam lai?" meddyliodd. Doedd dim byd arall i'w wneud cyn swper.

Roedd ystafell 18 mewn adeilad arall ganllath i ffwrdd. Aeth John i lawr y grisiau ac allan i'r iard. Roedd hi'n tywyllu, ac roedd y sêr yn dechrau ymddangos uwchben tref Henffordd yn y pellter. Roedd yn dda ganddo weld yr awyr glir; diwedd mis Mai oedd hi ond doedd y tywydd ddim wedi bod yn braf.

Cyrhaeddodd yr adeilad arall a mynd i mewn. Roedd yn rhaid iddo ddringo'r grisiau er mwyn cyrraedd y llawr cyntaf. Cerddodd ar hyd coridor tywyll a churo ar ddrws Tripp.

"Pwy sy 'na?" gwaeddodd llais dwfn o'r tu mewn.

"Fi, Ed . . ."

Orffennodd e mo'r gair. Roedd rhywun wedi neidio ar ei ysgwyddau ac roedd yn ceisio ei dagu.

Trodd John fel fflach a thaflu'r dyn yn drwm yn

erbyn wal y coridor. Syrthiodd y dyn i'r llawr. Ond roedd dyn arall yn ei wynebu nawr, ac roedd cyllell hir yn ei law. Cymerodd John gam yn ôl, ond dilynodd y dyn ei symudiad. Yn sydyn ciciodd John fraich y dyn a hedfanodd y gyllell trwy'r awyr. Yna ciciodd John eto, gan gyfeirio at ben-lin yr ymosodwr.

"Aaa . . . Digon," gwaeddodd y dyn. "Digon!"

Agorodd drws a daeth golau ymlaen. Roedd Sarjant Tripp yn edrych ar y ddau ddyn ar y llawr. Yna trodd at John.

"Da iawn, Lifftenant," meddai dan wenu. "Gwell na *poker,* on'd yw e?"

Aeth i helpu'r dynion i godi. Roedd un ohonynt yn dal i rwbio ei ben-lin ac yn cwyno'n dawel wrtho'i hunan.

Roedd chwys yn rhedeg i lawr wyneb John.

"Oedd rhaid ichi baratoi trap fel yna, Sarjant?" gofynnodd yn sych.

"Oedd," atebodd y sarjant. "Rydych chi'n gweithio'n galed ar y mat yn y gampfa, Syr, ond weithiau mae pethau'n digwydd heb rybudd o gwbl."

Sarjant Tripp oedd yn gyfrifol am ymarfer corff yn y gwersyll. Fe oedd yn dysgu i'r milwyr sut i'w hamddiffyn eu hunain a sut i ladd ymosodwyr. Gwersyll arbennig oedd hwn, ar gyfer dynion arbennig, ac roedd safon yr hyfforddiant yn uchel iawn.

Llwyddodd John i wenu.

"Wel, beth am y gêm?" gofynnodd.

"Fydd dim gêm heno, Syr," atebodd Sarjant Tripp.

"Mae'r cyrnol eisiau siarad â chi cyn swper."

2.

Roedd Cyrnol O'Neil yn gwrando ar y radio pan gurodd John Edwards ar ddrws ei swyddfa. Cododd y cyrnol ac agor y drws iddo.

"Dewch i mewn, Edwards," meddai. "Rydych chi'n gynnar."

"Cynnar, Syr?"

"Ie. Fe ddywedodd Tripp ei fod e wedi paratoi rhywbeth arbennig ichi."

"O, hynny . . ." Gwenodd y lifftenant yn swil. "Mae Sarjant Tripp yn hoffi chwarae triciau o bryd i'w gilydd, ond mae e'n filwr da."

Eisteddodd y cyrnol y tu ôl i ddesg yng nghanol y swyddfa. Agorodd lyfr cofnodion yr uned.

"Ydy," meddai. "Ac rydych chithau'n filwr da hefyd, Edwards." Aeth ei fys i lawr y rhestr o enwau. "Edmunds; Edson; Edwards, John."

Astudiodd y llyfr am funud.

"Felly roeddech chi yn y brifysgol cyn mynd yn filwr."

"Oeddwn, Syr. Roeddwn i ym Mhrifysgol Lerpwl."

"Yn astudio ieithoedd," ebe'r cyrnol.

"Ffrangeg ac Almaeneg," meddai John. "Rydw i'n siarad Cymraeg hefyd."

Edrychodd O'Neil i fyny.

“Beth am Wyddeleg?” gofynnodd dan wenu. Un o Armagh oedd O’Neil.

“Dim eto, Syr.” Roedd y lifftenant yn gwenu hefyd.

“Fe gawsoch chi radd ddwy flynedd yn ôl,” sylwodd y cyrnol. “Wedyn fe ymunoch chi â’r South Wales Borderers fel preifat. Ymhen tri mis roeddech chi ar eich ffordd i ysgol y swyddogion. Ond doeddech chi ddim eisiau aros gyda’r Borderers. Roedd yn well ’da chi ddod i’r uned arbennig ’ma ger Henffordd.”

“Oedd, Syr.”

Ochneidiodd O’Neil yn ddwfn.

“Ond fyddwch chi ddim yn aros gyda ni, Edwards,” meddai.

“Ddim yn aros, Syr . . . Pam?”

Roedd wyneb y cyrnol yn ddifrifol.

“Mae Whitehall yn chwilio am rywun fel chi i wneud gwaith arbennig. Maen nhw’n chwilio am rywun sy’n siarad ieithoedd. Rydw i wedi esbonio wrthyn nhw nad ydych chi ddim wedi gorffen eich hyfforddiant yma, ond maen nhw’n dweud nad oes dewis ganddyn nhw. Mae’r gwaith yn bwysig iawn.”

Ddywedodd John ddim gair am funud. Yna,

“Ble byddan nhw’n fy anfon i, Syr?”

“Cyfrinach ydy hynny, Edwards,” meddai O’Neil. “Yfory fe allwch chi ofyn y cwestiwn yna yn Whitehall. Fe fyddwch chi’n gadael Henffordd yn y bore.”

Cododd y cyrnol ar ei draed.

“Fe fydd parti ichi yn y *mess* heno, Capten,” meddai.

"Capten?" Doedd John Edwards ddim yn deall.

"Ie," meddai O'Neil yn eironig. "Dyna syniad arall gan Whitehall. Os digwydd ichi gael eich lladd, fe fydd 'Capten' yn edrych yn well ar garreg eich bedd . . . !"

3.

Roedd y daith i Lundain yn hir iawn, achos roedd rhaid newid trenau yng Nghaerwrangon, Rhydychen, Didcot a Reading cyn cyrraedd Paddington. Roedd y trenau yn llawn o filwyr oedd yn chwarae cardiau, ysmygu a rhegi trwy gydol y daith.

Yng ngorsaf Paddington roedd car swyddogol yn aros amdano.

"Mynd ar eich gwyliau, Syr?" gofynnodd y gyrrwr wrth weld y capten ifanc yn cario bag milwr ar ei gefn.

"Efallai," atebodd John dan wenu. "Ond wn i ddim i ble."

Yn ystod y daith yn y car gwelodd e effaith y bomio ar Lundain. Roedd strydoedd cyfan wedi diflannu. Eto i gyd doedd y bobl ddim yn edrych yn ddigalon.

"Mae'r blitz drosodd," esboniodd y gyrrwr. "Tro Berlin a Rhufain yw hi nawr!"

Aeth y car drwy Sgwâr Trafalgar a throdd i mewn i Whitehall. Safodd o flaen adeilad gwyn y Swyddfa Ryfel. Daeth plismon i agor drws y car a mynd â'r capten i mewn i'r adeilad. Roedd dyn bach yn aros amdano mewn swyddfa ar y llawr cyntaf. Roedd map mawr o Ewrop ar wal y swyddfa.

"Croeso, Capten," meddai'r dyn gan gynnig ei law. "Eisteddwch. Yn anffodus rydw i ar frys. Mae Mr Churchill eisiau siarad â fi yn Stryd Downing ymhen hanner awr."

Eisteddodd John mewn cadair ledr wrth ochr y map. Siaradodd y dyn bach yn gyflym.

"Fe gewch chi ddigon o gyfle i drafod y manylion gydag arbenigwyr y Swyddfa Ryfel," meddai. "Ond cyn hynny fe hoffwn i egluro'r sefyllfa ichi."

Taniodd sigâr tra oedd e'n siarad.

"Ydych chi'n ysmygu, Capten?"

Siglodd John ei ben. Chwythodd y dyn bach fwg at y nenfwd.

"Mae miliwn o filwyr Prydain ac America wedi eu grwpio ar arfordir de Lloegr," meddai. "Maen nhw'n aros am gyfle i groesi i Ffrainc. Dim ond y tywydd drwg yn y Sianel sydd yn eu rhwystro nhw ar hyn o bryd."

Gwrandawodd John heb ddweud gair.

"Heno fe fydd hanner dwsin o ddynion fel chi, Capten, yn glanio yn Ffrainc. Fe fyddan nhw'n glanio ger Dunkerque, Dieppe, Le Havre . . ."

"A fi . . . ?"

"Ger Bayeux yn Normandie. Fe fydd pob un ohonoch chi'n cysylltu â'r *Résistance* lleol. Fe fydd rhaid ichi achosi trafferthion i'r Almaenwyr yn y trefi ac yng nghefn gwlad. Eich tasg fydd gwneud eich gorau glas i orfodi milwyr yr Almaen i chwilio amdanoch chi. Fel hynny fe fydd llai ohonyn nhw ar lan y môr i rwystro ein byddin rhag glanio."

Edrychodd y dyn bach ar ei wats.

"Mae problem arall yn Bayeux," meddai.

"Pa broblem?"

"Mae'n debyg fod bradwr yn rhengoedd y *Résistance* yno. Maen nhw wedi colli gormod o ddynion yn ddiweddar."

Cododd y dyn bach ar ei draed, agorodd ddrôr yn ei ddesg a thynnu bocs bach allan.

"Cadwch y tabledi 'ma'n ddiogel," meddai.

Edrychodd John ar y bocs. Tabledi cyanid oedden nhw . . .

4.

Roedd hi'n hanner nos pan gyrhaeddodd car y Swyddfa Ryfel y maes awyr ddeng milltir o Gaergaint. Roedd y maes mewn tywyllwch ond cyfeiriodd y gyrrwr at gaban ganllath i ffwrdd.

"Mae'r peilot yn aros amdanoch chi yno," meddai. "Mae'n rhaid i fi fynd yn ôl i Lundain ar unwaith. Pob lwc ichi, Syr."

Siglodd e law'r capten cyn cychwyn peiriant y car. Cerddodd John at y caban a mynd i mewn heb guro. Roedd dyn tal yn eistedd wrth fwrdd yng nghanol yr ystafell. Roedd e'n astudio map, ac roedd gwydryn yn ei law.

"Hylo, Capten," meddai heb godi ar ei draed. "Wisgi?" Roedd gwydryn arall wrth ochr y map.

"Un bach, os gwelwch chi'n dda," atebodd John. Roedd e'n teimlo'n flinedig iawn ar ôl gweithio'n galed trwy'r dydd yn y Swyddfa Ryfel.

Tynnodd y peilot ei law dros ei fwstás brown hir.

"Ydych chi wedi neidio â pharasiwt o'r blaen?" gofynnodd gan arllwys y wisgi i'r gwydryn.

"Ydw. Tair gwaith."

"Yn y nos?"

Siglodd John ei ben.

"O wel," meddai'r peilot gan godi ei ysgwyddau. Gwagiodd ei wydryn a chodi ar ei draed. "Mae'r Lysander yn aros ar y maes," dywedodd. "Mae'n bryd inni fynd."

Ymhen yr awr roedd yr awyren fach wedi cyrraedd arfordir Ffrainc. Roedd John yn eistedd y tu ôl i'r peilot, ac roeddynt yn siarad â'i gilydd fel petaent ar drip ysgol.

"Fe fydd rhaid ichi fynd i weld Tapestri Bayeux," meddai'r peilot wrtho. "Rydych chi'n gwybod amdano, wrth gwrs?"

"Ydw," atebodd John. "Mae e'n adrodd stori Harold a Wiliam Goncwerwr."

"Anghofia i byth eiriau olaf Harold," meddai'r peilot yn sydyn.

"Beth ddywedodd e?"

"Rhowch y bwa a saeth 'na i lawr, Wiliam, neu

bydd rhywun siŵr o golli llygad!"

Chwarddodd y ddau ddyn fel plant bach. Doedd John ddim wedi clywed y jôc o'r blaen. Roeddynt yn dal i chwerthin pan welsant fwledi *tracer* yn mynd heibio i'r Lysander.

"Gafaelwch yn eich sedd, Capten," meddai'r peilot. "Dydy'r Boche ddim wedi mynd i'r gwely eto!"

5.

Roedd yr awyr yn glir mewn mannau ac roedd yr awyrennwr Almaenig wedi gweld y Lysander yng ngolau'r sêr. Doedd y Lysander ddim yn gyflym ond roedd hi'n gallu troi'n hawdd. Roedd popeth bellach yn dibynnu ar allu'r peilot.

Dechreuodd y Lysander igam-ogamu tua'r cymylau. Roedd yr Almaenwr wedi peidio â saethu erbyn hyn am fod y targed yn rhy ansefydlog. Ond yna dechreuodd y peilot regi o dan ei anadl.

"Dydy'r Boche yna ddim ar ei ben ei hun," meddai.

Roedd Messerschmitt arall wedi ymddangos trwy'r cymylau o'u blaen.

Tac, tac, tac . . . Roedd gynnau'r Lysander yn tanio nawr. Tac, tac, tac . . .

Yn sydyn gwelodd John bêl o dân o'u blaen. Roedd yr ail Messerschmitt wedi ffrwydro.

"Welodd e monon ni," gwaeddodd y peilot yn gyffrous. "Welodd yr hen Boche monon ni!"

Ffrwydrodd siel i'r dde a chrynodd y Lysander dipyn. Gwelodd John fwledi *tracer* eto, ond nid yn agos. Roedd y Messerschmitt gyntaf yn saethu'n wyllt.

Ffrwydrodd siel arall uwch eu pennau.

"Rydyn ni wedi deffro ac-ac y gelyn," chwarddodd y peilot. "Fydd y Messerschmitt ddim yn oedi yma."

Roedd e'n dweud y gwir. Trodd y Messerschmitt a diflannu i mewn i'r cymylau.

"Dyna syniad da," ebe'r peilot yn hapus. "Fe fydd yn well i ninnau hedfan yn y cymylau hefyd."

Dan orchudd y cymylau roeddynt yn gallu hedfan mewn tawelwch am hanner awr.

"Mae'n bryd inni ddisgyn o dan y cymylau," meddai'r peilot. "Yn fy marn i dydyn ni ddim yn bell o Bayeux."

Cyn hir roedd yr awyren yn hedfan o dan y cymylau, ond roedd carped o niwl yn cuddio'r ddaear.

"Mae'n rhaid imi groesi'n ôl dros y Sianel cyn y wawr," meddai'r peilot. "Mae dewis 'da chi, Capten. Neidio'n awr neu ddod yn ôl gyda fi."

"Rydw i'n mynd i neidio," atebodd John heb betruso. Edrychodd ar y niwl. "Gobeithio na fydda i'n glanio'n ôl yn Henffordd . . ."

"Na fyddwch. Caerdydd efallai, ond nid Henffordd. Gyda thywydd fel hyn, allwn ni ddim bod yn bell o'r môr!"

"Wel, diolch am bopeth."

"Croeso, a phob lwc ichi."

Syrthiodd John am rai eiliadau cyn i'r parasiwt agor.

Erbyn hynny roedd e wedi cyrraedd y niwl. Doedd e ddim yn gallu gweld dim byd, ond roedd yn gallu teimlo'r glaw ar ei wyneb.

Yn sydyn ymddangosodd adeilad odano. Tynnodd yn galed ar gortyn y parasiwt ond roedd yn rhy hwyr. Glaniodd gyda sŵn mawr ar do tun gwastad. Doedd e ddim wedi brifo, ond roedd e'n siŵr fod y sŵn wedi deffro pawb am filltiroedd o'i gwmpas!

6.

Chollodd John Edwards ddim eiliad cyn ei ryddhau ei hunan o'r parasiwt a neidio i lawr i'r ddaear. Roedd gwartheg yn cwyno yn y beudy lle roedd e wedi glanio. Roedden nhw wedi cael eu deffro gan y sŵn.

Penderfynodd guddio'r parasiwt yn bell o'r fferm. Gallai weld tŷ mawr tua chanllath i ffwrdd. Doedd e ddim eisiau cwrdd â pherchennog y tŷ. Wrth lwc doedd dim golau yn y ffenestri.

Dechreuodd John ddilyn llwybr oedd yn mynd heibio i'r beudy a thua'r caeau, fel y tybiai. Yna clywodd sŵn y tu ôl iddo. Cyneuwyd lamp drydan a thaflodd corff John gysgod hir ar y ddaear o'i flaen.

"Stop! Dwylo i fyny," gwaeddodd llais yn Ffrangeg. "Mae gwn 'da fi."

Llais merch oedd e. Trodd John yn araf. Doedd e ddim yn gallu gweld dim byd ond golau'r lamp.

"Pwy ydych chi . . ." gofynnodd y ferch yn llym.

"Almaenwr?"

Siglodd y milwr ei ben.

"Nage. Prydeiniwr ydw i."

"Pam dydych chi ddim yn gwisgo dillad milwrol?" gofynnodd y ferch. "Peilot ydych chi?"

Gollyngodd y Cymro y parasiwt ar y ddaear.

"Alla i ddim ateb y cwestiwn 'na, Mademoiselle," meddai. "Rydw i wedi dweud digon yn barod."

"Peidiwch â symud!" Roedd llais y ferch yn nerfus iawn. Roedd hi wedi sylwi ar y dryll a'r gyllell yng ngwregys y milwr.

"Mae tri dewis 'da chi, Mademoiselle," ebe John yn rhesymol. "Un, fe allwch chi saethu; dau, fe allwch chi alw am y Gestapo; tri, fe allwch chi fynd â fi'n ôl i'r tŷ i gael cwpanaid o de."

Petrusodd y ferch am eiliad.

"Beth am y parasiwt?" gofynnodd hi'n sydyn. "Os bydd yr Almaenwyr . . ."

"Oes rhaw 'da chi ar y fferm?" gofynnodd John yn gyflym.

"Oes, wrth gwrs."

"Felly, fydd y parasiwt ddim yn broblem o gwbl."

Doedd y ferch ddim yn hollol siŵr eto.

"Mae gwn a chyllell 'da chi," meddai hi. "Rhowch nhw i mi."

"Na wnaf," atebodd John dan wenu arni. "Fydd-wch chi ddim yn gallu cario lamp drydan, cyllell a dau ddryll!"

"O . . ." Doedd y ferch ddim yn meddwl yn glir.

Cododd John y parasiwt o'r ddaear.

"Gadewch inni fynd," meddai. "Gyda llaw, John yw fy enw i. Beth yw'ch enw chi?"

"Martine," atebodd hi'n dawel. "Martine Villon."

"Martine . . . Dyna enw hyfryd," meddyliodd John Edwards. Roedd e'n dechrau hoffi'r ferch yn barod!

7.

Wedi claddu'r parasiwt y tu ôl i'r beudy aeth John Edwards yn ôl i'r ffermdy. Roedd y ferch wedi paratoi te iddynt. Merch tua deunaw oed oedd Martine ac roedd hi'n hardd iawn; roedd ei chroen yn dywyll, ei gwallt yn frown, a'i llygaid mor glir â dŵr ffynnon.

"Eisteddwch i lawr," meddai hi. "Oes eisiau bwyd arnoch chi?"

"Nac oes."

Sipiodd e'r te poeth.

"Mae'n dda," meddai wrth y ferch. "Diolch."

Gwenodd Martine arno'n swil. "Dyna ddyn golygus," meddyliodd.

"Ydy'r fferm 'ma'n bell o Bayeux?" gofynnodd John yn sydyn.

"Deg kilometr," atebodd y ferch.

"Mae'n rhaid imi gysylltu â'r *Résistance,*" esboniodd y capten. Edrychodd o gwmpas yr ystafell fawr. "Dydych chi ddim yn byw ar eich pen eich hunan, ydych chi, Martine?"

Siglodd y ferch ei phen.

"Nac ydw. Mae fy mrawd yn byw ar y fferm hefyd."

"Ble mae e, yn y gwely?"

"Nage, mae e'n gweithio."

"Gweithio . . ." Edrychodd John arni'n syn. "Yn y nos?"

"Peiriannydd trydan ydy e," esboniodd Martine. "Fe gafodd e alwad ffôn am hanner nos. Roedd y radio wedi torri i lawr ym mhencadlys yr Almaenwyr ger Bayeux."

Yn sydyn clywsant y drws ffrynt yn agor. Roedd rhywun yn dod i mewn i'r ystafell nesaf. Cododd John a Martine ar eu traed.

"O, Henri," meddai'r ferch dan wenu.

Gwelodd John ddyn tal, difrifol yr olwg, yn dod i mewn i'r ystafell. Syllodd e ar John a gofyn,

"Pwy ydych chi?"

"Milwr Prydeinig ydw i," atebodd John. "Mae'n rhaid imi gysylltu â'r *Résistance* lleol."

Cochodd wyneb Henri Villon.

"Dydw i ddim eisiau trafferth gyda'r Almaenwyr," meddai'n llym. Trodd at ei chwaer. "Wyt ti wedi drysu, Martine? Mae'r Gestapo yn saethu pobl sy'n helpu'r Prydeinwyr. Mae'n rhaid i'r dyn 'ma fynd i ffwrdd ar unwaith."

"Does dim bai arni hi," meddai John yn gyflym. Ond doedd Henri Villon ddim yn gwrando. Roedd wedi mynd allan o'r ystafell gan gau'r drws yn glep. Clywsant ef yn dringo'r grisiau i'w ystafell wely.

"Mae e'n dweud y gwir," meddai John. "Mae'n rhaid imi fynd."

"Mae fy mrawd wedi blino," esboniodd y ferch. Petrusodd am eiliad. "Mae coedwig fach ar y bryn y tu ôl i'r fferm," meddai. "Mae caban yn y coed. Fe fyddwch chi'n ddiogel yno. Dydy Henri ddim yn treulio llawer o amser ar y fferm; mae e'n rhy brysur wrth ei waith. Fydd e ddim yn gwybod dim byd."

Gafaelodd John yn llaw Martine.

"Diolch," meddai.

"Peth arall," ebe'r ferch.

"Beth?"

"Mae pentref o'r enw Naucelle ar y ffordd i Bayeux. Yn y pentre mae bar o'r enw Café de la Tour. Rydw i wedi clywed . . ."

"Rydych chi wedi dweud digon yn barod," meddai John dan wenu.

Doedd e ddim yn gallu credu ei lwc. Roedd e wedi clywed eisoes am Naucelle a'r bar yna . . . yn y Swyddfa Ryfel yn Llundain!

8.

Treuliodd John Edwards y bore yn y caban bach yn y goedwig. O'r caban gallai edrych i lawr ar y ffordd oedd yn arwain i bentref Naucelle, ac wedyn i dref Bayeux.

Cysgodd am sbel ond ddim yn drwm. Roedd e'n

gwrando ar bob sŵn a doedd e ddim yn gallu ymlacio. Roedd e'n meddwl am Martine a'i brawd Henri. Roedd Martine wedi bod yn hyfryd gydag e, ond doedd Henri ddim yn gyfeillgar o gwbl. Roedd Martine wedi clywed am y Café de la Tour yn Naucelle. Oedd ei brawd yn gwybod am y *Résistance* hefyd? Roedd brawddeg yn troi ym meddwl John: "Mae bradwr yn y *Résistance* lleol."

Roedd hen feic yn gorwedd yng nghornel y caban. Byddai beic yn ddefnyddiol iddo. Yn anffodus roedd y beic yn rhydlyd ac roedd yr olwynion yn gwichian. Treuliodd awr yn ei lanhau. Byddai'n rhaid iddo ofyn i Martine a oedd olew ganddi ar y fferm.

Am hanner awr wedi pedwar cychwynnodd ar ei ffordd i Naucelle. Roedd wedi penderfynu cerdded trwy'r caeau ac osgoi'r ffordd fawr. Doedd dim ofn yr Almaenwyr arno ond doedd e ddim eisiau cwrdd ag Henri Villon ar ei ffordd yn ôl o'r gwaith.

Roedd croesffordd ar gyrion Naucelle ac arwydd yn dweud: Bayeux 6 km. Dringodd John dros ben clwyd a dechrau dilyn y ffordd i bentref Naucelle. Cyn hir cyrhaeddodd bont garreg lle roedd milwr Almaenig yn sefyll. Roedd y milwr yn cario reiffl ar ei ysgwydd a llawddryll yn ei wregys.

"Stop," gorchmynnodd yr Almaenwr. "Dangoswch eich papurau."

Roedd e wedi siarad yn Ffrangeg, ond gydag acen Almaeneg gref.

"Dyma nhw," atebodd John yn Almaeneg.

Tynnodd y papurau o'i boced a'u hestyn i'r milwr. Edrychodd yr Almaenwr arnynt yn ofalus.

"Felly athro ydych chi, Monsieur Lemaître," meddai.

"Ie, athro ieithoedd — Almaeneg a Saesneg."

"Ond yn ôl eich papurau chi, rydych chi'n gweithio yn Agen," sylwodd y milwr.

"Ydw," cytunodd y Cymro. "Fel arfer rydw i'n gweithio yn Agen."

Syllodd yr Almaenwr arno. Roedd yr athro'n siarad Almaeneg yn dda.

"Beth rydych chi'n wneud yma yn Normandie?" gofynnodd.

Gwenodd John arno.

"Gofynnwch i'r Feldmarschall Rommel," atebodd.

Agorodd llygaid yr Almaenwr yn eang. Roedd e wedi clywed bod timau o ieithyddion wedi dod i mewn i Normandie i wrando ar y BBC a radio'r Americanwyr. Roedd Rommel eisiau gwybod popeth am gynlluniau Prydain ac America i lanio byddin ar arfordir Ffrainc.

Rhoddodd y papurau yn ôl yn gyflym.

"Pob lwc ichi, mein Herr," meddai, gan glician ei sodlau. "Mae'n dda gen i gwrdd â Ffrancwr sy'n caru'r Almaen. Heil Hitler!"

9.

Roedd y Café de la Tour yng nghanol y pentref. Roedd grŵp bach o gwsmeriaid yn eistedd ar deras y caffe, ac roedd grŵp arall yn chwarae gêm o *boules* ar y sgwâr o flaen y bar.

Aeth John Edwards i mewn i'r bar. Roedd dyn tywyll yn sefyll y tu ôl i'r cownter. Gwenodd ar y Cymro.

"Croeso, Monsieur," meddai gan sychu ei ddwylo ar liain. "Paul Causse ydw i, perchennog y caffe. Ydych chi eisiau yfed yma neu allan ar y teras?"

"Rydw i wedi trefnu cwrdd â Pierre Salins," ebe John. "Ydych chi'n ei nabod e?"

"Wrth gwrs, Monsieur. Rydw i'n nabod pawb yn y pentref 'ma. Ond pwy ydych chi?"

"Jean Lemaître ydy fy enw i. Cefnder Pierre ydw i, ond dydw i ddim wedi ei weld e ers blynyddoedd. Rydw i'n dod o Agen yn wreiddiol ond yn gweithio yn Bayeux ar hyn o bryd."

"Wel, wel," meddai Causse gan arllwys gwydraid o win coch iddo. "Roedd Pierre yn siarad amdanoch chi y dydd o'r blaen. Mae e'n edrych ymlaen at gwrdd â chi eto."

Gostyngodd Causse ei lais.

"Fe fydd yn well ichi aros yn yr ystafell gefn," meddai. "Fydd Pierre ddim yn hir."

Treuliodd John hanner awr yn yr ystafell fach y tu ôl i'r bar cyn i'r drws agor. Daeth tri dyn i mewn ac eistedd wrth yr un bwrdd â'r Cymro.

"Pierre Salins ydw i," meddai gŵr mwyaf y grŵp. "Chi ydy'r Prydeiniwr?"

"Ie," atebodd John gan ysgwyd llaw'r Ffrancwr.

Cyfeiriodd Salins at y ddau ddyn wrth ei ochr.

"Dyma Ginestet a Bonnard," meddai. "Bancwr ydy Ginestet ac mae Bonnard yn . . ."

"Adeiladydd," meddai John dan wenu. "A chigydd ydych chi, Pierre."

"Mae e'n gwybod popeth," sylwodd y bancwr yn sych wrth y lleill.

Trodd John ato'n gyflym.

"Nac ydw," meddai. "A dweud y gwir, fe hoffwn i wybod llawer mwy."

"Am beth?" gofynnodd Bonnard.

"Yn gyntaf, oes bradwr yn eich grŵp chi?"

Aeth yr ystafell yn ddistaw.

"Rydyn ni wedi colli gormod o ddynion yn ddiweddar," ebe Pierre. "Ond does dim bradwr yn ein plith. Rydyn ni wedi bod yn anlwcus, dyna'r cwbl."

"Os nad ydych chi'n teimlo'n ddiogel gyda ni, ewch i ymuno â grŵp arall," awgrymodd Ginestet y bancwr.

"Does dim amser," atebodd John. "A beth bynnag, atoch chi y ces i f'anfon."

"Ble rydych chi'n byw ar hyn o bryd?" gofynnodd Pierre.

"Does dim angen i chi wybod hynny," dywedodd y Cymro. "Ond fe alla i gysylltu â chi heb drafferth."

Meddyliodd Pierre am foment.

"Yfory rydyn ni'n mynd i ffrwydro pont reilffordd ger Bayeux," meddai. "Fyddwch chi'n dod gyda ni?"

"Gan mai chi ydy'r arbenigwr . . ." ychwanegodd Bonnard yn eironig.

Sipiodd John ei win heb ddweud gair. Edrychodd o gwmpas y bwrdd: Pierre y cigydd, Bonnard yr adeiladydd, Ginestet y bancwr. Grŵp rhyfedd iawn, meddyliodd.

10.

Pan aeth e'n ôl i'r caban, gwelodd John fod Martine wedi gadael bwyd iddo: bara, cig a llond jwg o laeth. Roedd e'n teimlo'n siŵr nad oedd Henri'n gwybod dim byd am hyn.

Roedd hi'n dywyll erbyn hyn ac roedd John yn gallu gweld goleuadau'r ffermdy trwy'r coed. Roedd e'n meddwl am y ferch. Beth roedd hi'n ei wneud nawr . . . Coginio, gwnïo, golchi dillad?

Roedd rhaid iddo gysgu. Roedd e'n teimlo'n flinedig iawn. Byddai'n chwilio am gyfle i gwrdd â Martine yn y bore.

Drannoeth am naw o'r gloch gwelodd e Henri Villon yn cychwyn ar ei ffordd i'r gwaith. Arhosodd John am hanner awr, yna cerddodd i lawr y bryn i chwilio am Martine.

Cyrhaeddodd y tŷ a churo ar y drws. Chafodd e ddim ateb, ond doedd y drws ddim ar glo. Penderfynodd fynd i mewn.

"Martine?"

Doedd dim ateb. Aeth at droed y grisiau a gweiddi eto:

"Martine . . .?"

Yn sydyn clywodd e sŵn cerbyd yn dod i mewn i iard y fferm. Edrychodd drwy'r ffenestr a gweld lori gefn-agored yn parcio o flaen y tŷ. Roedd yn llawn o filwyr Almaenig. Dringodd John y grisiau'n gyflym.

Roedd e'n sefyll mewn coridor cul. Ceisiodd agor y drws cyntaf i'r dde ond roedd hwnnw ar glo. Wrth lwc roedd yr ail ddrws ar agor. Aeth i mewn i ystafell wely. Roedd gŵn nos pinc yn hongian y tu ôl i'r drws.

Clywodd e bobl yn dod i mewn i'r tŷ. Roedd rhywun yn siarad Ffrangeg yn uchel, ond gydag acen Almaeneg gref.

"Roedden ni'n lwcus iawn i gwrdd â chi ar eich ffordd i'r gwaith," meddai'r llais. "Rydw i'n siŵr fod eich gwaith chi'n bwysig, Herr Villon, ond mae gwaith y Reich yn bwysicach fyth."

Chlywodd John mo'r ateb, ond aeth yr Almaenwr yn ei flaen:

"Dyn clên ydych chi, Henri. Rydw i'n gallu dibyn-nu arnoch chi."

Dechreuodd yr Almaenwr esbonio bod problem trydan mewn byncer yn ymyl pencadlys y fyddin ger Bayeux.

"Arhoswch yma, Herr Major," meddai Henri Villon. "Fe af i i nôl fy offer. Maen nhw lan llofft. Mae *cognac* yn y cwpwrdd. Fydda i ddim yn hir."

Dringodd y grisiau. Pan gyrhaeddodd y coridor agorodd y drws cyntaf ag allwedd. Ar ôl tri neu bedwar munud daeth allan o'r ystafell gan gloi'r drws ar ei ôl. Yna aeth yn syth i lawr y grisiau.

"Mae'r *cognac* yn ardderchog, Henri," sylwodd y swyddog Almaenig. "Fe fydd rhaid i chi ddod i yfed *schnaps* gyda fi ryw noson."

Clywodd John y ddau ddyn yn mynd allan i'r iard. Yna clywodd y lori'n cychwyn ar ei ffordd i bencadlys yr Almaenwyr.

Eisteddodd John ar y gwely. Oedden nhw i gyd wedi mynd i ffwrdd? Clywodd e sŵn lawr llawr. Roedd rhywun wedi agor drws y tŷ. Yna clywodd gamau yn dod i fyny'r grisiau. Aeth i guddio y tu ôl i ddrws yr ystafell wely, a thynnodd ei gyllell o'i wregys.

Agorodd y drws yn sydyn a daeth Martine Villon i mewn. Aeth hi'n syth at y ffenestr a syllodd ar y bryn lle roedd John wedi treulio'r noson.

"Martine," meddai fe'n dawel.

Trodd y ferch ato fe'n syn.

"John," meddai. Yna dechreuodd hi wylo.

11.

Pan welodd e'r dagrau yn llygaid y ferch croesodd John yr ystafell a'i chymryd hi yn ei freichiau.

"Beth sy'n bod?" gofynnodd. "Rwyt ti'n crynu fel deilen."

Ceisiodd Martine wenu.

"Oes hances 'da ti?" meddai hi.

"Oes. Dyma ti."

Sychodd y ferch ei llygaid.

"Pan welais i'r Almaenwyr yn y lori fe ges i ofn," esboniodd hi. "Maen nhw wedi mynd â chymaint o bobl i ffwrdd."

"Rydw i'n deall," ebe'r Cymro. "Roeddet ti'n poeni am dy frawd."

Siglodd y ferch ei phen.

"Nac oeddwn," meddai. "Roedd Henri wedi gadael y fferm yn gynharach. Poeni amdanat ti oeddwn i."

Roedd dagrau yn ei llygaid o hyd. Roedd hi'n edrych yn brydferth iawn. Cusanodd y Cymro hi ar ei gwefusau, a thynnodd hi ddim yn ôl.

"Roedd Henri gyda nhw," meddai John. "Ond paid â phoeni. Mae e'n eu helpu nhw gyda rhyw broblem."

Gwenodd Martine arno. Roedd hi'n edrych yn well.

"Wyt ti wedi bwyta eto?" gofynnodd hi.

"Nac ydw, ond diolch am y swper neithiwr."

"Mae wyau ffres 'da fi," meddai hi. "Fe wnaf i frecwast iti."

Aethant i lawr i'r gegin. Eisteddodd John wrth y bwrdd ac edrych ar y ferch tra oedd hi'n paratoi'r brecwast.

"Beth sy yn yr ystafell lan llofft?" gofynnodd e'n sydyn.

Trodd Martine a syllu arno.

"Pa ystafell?"

"Yr un sy ar glo."

"O, gweithdy fy mrawd ydy hwnna."

Arllwysodd hi gwpanaid o goffi iddo.

"Rydw i'n gweithio ar hen feic yn y caban," meddai John. "Oes 'na olew yng ngweithdy dy frawd?"

Eisteddodd Martine gyferbyn ag e.

"Wn i ddim," atebodd. "Ond does dim problem. Mae olew o dan y sinc."

Doedd John ddim yn hollol fodlon gyda'r ateb.

"Pam mae Henri'n cloi'r drws, Martine?"

"Mae peiriannau trydan yn yr ystafell 'na," meddai'r ferch. "Yn ôl fy mrawd mae rhai ohonyn nhw'n beryglus."

"Wyt ti wedi eu gweld nhw?"

Siglodd ei phen.

"Nac ydw. Mae Henri'n glanhau'r ystafell ei hunan. Does dim rheswm i mi fynd i mewn."

Crafodd John ei ên.

"Ydy Henri . . .?"

"John," meddai Martine yn llym. "Does dim cyfrinach o gwbl. Ond mae'n rhaid iti ddeall un peth. Ers i'r Almaenwyr oresgyn Ffrainc mae ein bywyd ni wedi bod yn galed a pheryglus. Rydyn ni wedi dysgu peidio â gofyn cwestiynau . . ."

12.

Roedd John Edwards wedi trefnu cwrdd â'r aelodau o'r *maquis* ar y ffordd rhwng Naucelle a Bayeux. Croesodd y caeau ar droed er mwyn osgoi'r milwyr Almaenig a oedd yn gwylio'r ffyrdd trwy'r amser. Yn ffodus roedd y Cymro'n heini iawn ar ôl yr ymarfer corff caled yn y gwersyll ger Henffordd. Felly cyrhaeddodd y bont haearn cyn y lleill.

Cariai'r bont reilffordd ar draws afon lydan. Roedd yr Almaenwyr yn defnyddio'r rheilffordd i ddod â milwyr ac arfau i'r arfordir. Roedden nhw'n disgwyl ymosodiad gan y Prydeinwyr a'r Americanwyr unrhyw ddiwrnod.

Roedd y nos yn dywyll a chymylog ac roedd gwynt cryf yn chwythu. Yn sydyn clywodd John sŵn. Roedd rhywun yn dod ato trwy'r coed. Tynnodd ei ddryll o'i wregys.

"John . . .?"

"Ie?" Roedd e wedi adnabod llais Pierre Salins.

"Peidiwch â saethu," meddai llais arall. "Nid Almaenwyr ydyn ni."

Roedd e'n gallu gweld Pierre nawr, a Bonnard a Ginestet wrth ei ochr.

"Rydych chi'n gynnar," meddai Pierre. "Roedden ni'n credu mai Almaenwr oeddech chi."

Roedd Pierre yn cario gwn hefyd. Gwn sten oedd e. Byddai'r gwn yn ddefnyddiol petai pethau'n mynd yn ddrwg.

"Ydych chi wedi dod â'r ffrwydron?" gofynnodd y Cymro.

"Ydyn, mae dynameit 'da ni," atebodd Bonnard. Roedd e'n cario sach o dan ei fraich.

"Oes milwyr ar y bont?" gofynnodd Ginestet y bancwr mewn llais nerfus.

"Dydw i ddim yn meddwl," ebe John. "Dydw i ddim wedi gweld neb yn symud."

"Dyma'r cynllun," meddai Pierre wrtho. "Fe fydd Ginestet yn aros yma i wylio'r ffordd. Fe fydd Bonnard yn dringo ar y bont ac yn gosod y dynameit. Fe fydda i'n mynd â'r gwn sten i lan yr afon ac aros yno."

"Beth amdana i?" ebe'r Cymro. "Gaf i helpu Bonnard?"

"Iawn," cytunodd Pierre. "Fe fydd dryll arall yn ddefnyddiol."

Gadawsant y bancwr wrth ochr y ffordd a mynd i lawr i lan yr afon. Edrychodd John ar y dŵr. Roedd e'n llifo heibio fel neidr lwyd.

"Fe arhosa i yma," meddai Pierre. "Os bydd Almaenwyr yn dod o gyfeiriad Bayeux fe fydda i'n tanio ar unwaith."

"Iawn," ebe Bonnard. Trodd at John. "Ydych chi'n barod?"

Cyrhaeddodd y ddau y bont heb drafferth. Rhoddodd Bonnard y sach i'r Cymro.

"Fe a i i fyny a chlymu'r dynameit wrth un o'r colofnau," meddai. "Fe fydd rhaid i chi fy nilyn i hyd at hanner y ffordd."

Dechreuodd Bonnard ddringo'n gyflym. Trodd ei ben a gweld John yn ei ddilyn. Roedd esgidiau'r ddau ddyn yn gwneud sŵn ar haearn y bont ar eu ffordd i fyny.

Yna stopiodd Bonnard.

"Dyma le perffaith," meddai. "Dewch â'r sach."

Dringodd y Cymro'n ofalus. Doedd e ddim eisiau gollwng y sach i'r afon dywyll.

"Mae hynny'n ddigon pell," ebe Bonnard. "Nawr codwch y sach uwch eich pen."

Cododd John y sach yn araf. Gafaelodd Bonnard ynddi.

"Diolch, John," meddai. "Does dim rhaid i chi aros. Ewch i lawr."

Ar yr union foment honno cyneuwyd golau disglair ar ochr arall yr afon, gwaeddodd rhywun orchymyn yn Almaeneg a dechreuodd gynnau saethu'n ffyrnig.

13.

Roedd bwledi'n taro polion haearn y bont o gwmpas Bonnard a John Edwards. Yna dechreuodd Pierre Salins danio â'r gwn sten. Roedd grŵp o filwyr Almaenig wedi dechrau croesi'r bont ond syrthiodd un ohonynt i'r llawr. Rhedodd y lleill i guddio y tu ôl i'r creigiau ar lan yr afon.

Roedd y golau'n cyfeirio at Bonnard trwy'r amser,

ond gweithiodd y Ffrancwr heb frys er gwaethaf y bwledi. Roedd John wedi tynnu ei ddryll allan erbyn hyn ac roedd e'n ateb tân yr Almaenwyr ar ben arall y bont.

"Rydw i wedi gorffen," ebe Bonnard o'r diwedd. "Mae'r ffrwydron yn eu lle."

Atebodd John ddim. Roedd e'n gwylio'r ffurfiau tywyll oedd yn symud fel ysbrydion rhwng y creigiau a'r bont. Roedd e'n saethu o bryd i'w gilydd pan oedd targed clir o'i flaen. Yn y cyfamser roedd swyddog Almaenig yn gweiddi gorchmynion yn ddi-baid ond doedd y milwyr ddim yn awyddus i ruthro ar y bont; roedd gwn sten Pierre yn effeithiol iawn.

Edrychodd John i fyny. Beth roedd Bonnard yn ei wneud? Penderfynodd fynd i fyny i weld beth oedd yn digwydd.

"Bonnard . . . Bonnard!"

Dim ateb. Cyrhaeddodd y Cymro y man lle roedd Bonnard yn eistedd. Roedd ei lygaid ar agor ond doedden nhw ddim yn gweld dim byd. Gwelodd John y gwaed ar ei grys. Roedd Bonnard wedi marw, ond roedd colofn y bont wedi atal ei gorff rhag cwympo i'r afon.

Doedd dim amser i'w golli. Chwiliodd John ym mhocedi Bonnard a daeth o hyd i flwch matsys. Roedd rhaid iddo danio'r dynameit cyn neidio i lawr i'r ddaear.

"Bonnard . . . Edwards . . . Brysiwch," gwaedd-odd Pierre Salins o waelod y bont. Roedd y gwn sten yn boeth yn ei ddwylo, a doedd dim llawer o fwledi ar ôl.

Taniodd John Edwards fatsen. Roedd yr Almaenwyr yn dal i saethu'n ffyrnig. Arhosodd am eiliad er mwyn gwneud yn siŵr fod y ffiws yn llosgi. Yna neidiodd o'r bont i'r ddaear.

"Ble mae Bonnard?" Roedd llais Pierre yn dynn.

"Wedi marw."

Dringasant y llethr i gyfeiriad y ffordd. Yn sydyn clywsant ffrwydrad mawr. Trodd John ei ben a gweld rhan o'r bont yn syrthio i mewn i'r afon a'r rheilffordd yn hongian yn yr awyr fel ysgol raffau. "Fe wnaethoch chi lwyddo, Bonnard," meddyliodd.

Ar yr union foment honno cafodd y Cymro ei daro gan fwled Almaenig.

"John, beth sy'n bod?" gofynnodd Pierre yn ofidus.

Anadlodd John yn ddwfn cyn ateb.

"Bwled yn fy ochr, ond dim byd difrifol. Rydw i'n gallu cerdded."

Cyraeddasant y ffordd ond roedd Ginestet eisoes wedi diflannu.

"Doedd dim rhaid iddo fe aros," esboniodd Pierre. "Doedd dim gwn 'da fe."

Croeson nhw'r caeau mewn distawrwydd. O bryd i'w gilydd gwelsant geir a lorïau'n mynd heibio ar y ffordd fawr. Roedd y rheiny'n llawn o filwyr, siŵr o fod. Ar ôl cerdded am ddwy filltir dywedodd Pierre:

"Dyma ni wedi cyrraedd Naucelle. Fedrwch chi fynd ymlaen ar eich pen eich hunan?"

Roedd y clwyf yn ochr John yn boenus iawn, ond chwynodd e ddim o gwbl.

"Fe fydda i'n iawn," meddai. "Fe geisia i gysylltu â chi nos yfory yn y Café de la Tour."

Trodd y Ffrancwr i fynd ond galwodd John e'n ôl.

"Pierre . . .?"

"Ie?"

"Faint o bobl oedd yn gwybod am ein trefniadau ni heno?"

Meddyliodd Pierre am eiliad cyn ateb.

"Faint? Wel, fi a chi, Bonnard, Ginestet . . ."

"Neb arall?"

"Dim ond Henri."

"Henri? Pwy yw e?"

"Mae e'n byw y tu allan i'r pentref. Dydych chi ddim wedi cwrdd ag e eto . . ."

14.

Curodd Martine ar ddrws y caban ond chafodd hi ddim ateb. Agorodd hi'r drws yn llydan a gweld John Edwards yn gorwedd ar y llawr ger y ffenestr.

"Martine!"

"Ie?"

Croesodd hi'r ystafell i'r man lle roedd y Cymro'n gorwedd.

"Martine . . ."

Edrychodd arno fe'n syn. Roedd ei lygaid wedi cau.

Roedd e'n galw ei henw hi yn ei gwsg.

"John. Beth sy'n bod?"

Gwelodd hi'r gwaed ar ei ddillad, ac aeth ar ei phenliniau wrth ei ochr.

"John!"

Agorodd ei lygaid yn araf.

"Paid â symud," meddai Martine. "Fe alwa i'r meddyg."

"Na . . ." Cododd John ar ei draed, gydag ymdrech. "Does dim eisiau meddyg arna i. Fe dorrodd y fwled asen, dyna'r cwbl. Rydw i wedi rhoi rhwymyn ar y clwyf yn barod."

Roedd y ferch yn falch o weld ei fod yn gallu cerdded.

"Wel, gadewch imi newid y rhwymyn o leiaf," meddai. "Mae'r hen un yn waed i gyd."

Aeth hi i nôl rhwymyn newydd o'r ffermdy. Pan ddaeth yn ôl roedd hi'n cario brechdanau a llond jwg o goffi hefyd.

"Martine, mae hyn yn hyfryd!" meddai John dan wenu.

"Eistedda," gorchmynnodd y ferch. "Rwyt ti'n rhy wan i sefyll am amser hir."

Eisteddodd y milwr ac edrych ar ei wats. Canol dydd. Roedd e wedi cysgu am oriau. Helpodd y ferch e i dynnu ei grys, yna rhoddodd hi antiseptig ar y clwyf a chlymodd y rhwymyn newydd o gwmpas ei gorff.

"Faint o dyllau sy yno?" gofynnodd John tra oedd y

ferch yn glanhau'r clwyf.

"Dau."

Gwenodd y Cymro er gwaethaf y poen. Roedd y fwled wedi mynd yn syth trwy'r cnawd ac allan eto.

"Fe gafodd pont reilffordd ei ffrwydro neithiwr," meddai Martine yn sydyn. "Yn anffodus fe gafodd un o'r *maquis* ei ladd."

"Yn wir? Sut gwyddost ti hynny?" gofynnodd John. Roedd y fferm ymhell o'r pentref, a fyddai'r Almaenwyr ddim yn cyhoeddi'r fath newyddion ar y radio.

"Fe gafodd Henri alwad ffôn y bore 'ma," atebodd y ferch.

Roedd John yn awyddus i wybod pwy oedd wedi ffonio Henri Villon, ond doedd e ddim eisiau digio Martine.

"Rwyt ti'n edrych yn olygus iawn yn dy rwymyn newydd," ebe'r ferch. "Ond fe fydd rhaid iti orffwys am sbel."

"Bydd," cytunodd y Cymro. Roedd e wedi bwriadu mynd i far Paul Causse yn Naucelle y noson honno, ond fyddai hynny ddim yn bosibl nawr. Byddai'n rhaid iddo olchi'r gwaed o'i ddillad cyn mentro i mewn i'r pentref.

Trodd at y ferch.

"Roeddwn i'n breuddwydio amdanat ti yn ystod y nos, Martine."

"Oeddet ti?"

Daeth hi ato fe a'i gusanu'n dyner.

"Weithiau rydw i'n credu fy mod i'n breuddwydio

hefyd," meddai hi.

15.

Doedd John ddim yn gallu cysgu. Roedd ei wres yn uchel iawn oherwydd y clwyf yn ei ochr, ac roedd yr un problemau yn troi yn ei feddwl trwy'r amser.

Ai'r un person oedd Henri y *Résistant* ac Henri Villon? Pam roedd Henri Villon mor gyfeillgar â'r Almaenwyr? Sut roedd grŵp y *Résistance* wedi cwympo i mewn i fagl yr Almaenwyr y noson gynt? Pam roedd Henri Villon wedi ceisio ei anfon e i ffwrdd? Beth oedd y peiriant trydan peryglus yng ngweithdy brawd Martine? Pam roedd drws y gweithdy ar glo trwy'r amser?

Roedd golau'r lleuad yn dod i mewn trwy ffenestr y caban. Cofiodd John sut roedd Bonnard y *Résistant* wedi marw. Ai bradwr oedd wedi achosi ei farwolaeth? Oedd rhywun wedi anfon neges at y milwyr Almaenig? Roedd hynny'n ymddangos yn bur debyg. Ond pwy? Y dyn o'r enw Henri, neu Pierre Salins, neu Ginestet a oedd wedi rhedeg i ffwrdd yn ystod y frwydr?

Pam roedd gweithdy Henri Villon yn dal i droi yn ei feddwl? Penderfynodd godi a mynd am dro o gwmpas y fferm. Roedd popeth yn dawel ond roedd e'n gallu gweld yn iawn yng ngolau'r lleuad. Cyrhaeddodd y ffermdy a gweld ffenestr agored ar y llawr gwaelod.

Ffenestr y gegin oedd hi. Petrusodd am foment, yna dringodd drwy'r ffenestr i mewn i'r tŷ.

Aeth drwy'r gegin a'r lolfa heb wneud sŵn, yna dechreuodd ddringo'r grisiau. Cyrhaeddodd ddrws y gweithdy a thynnu darn o wifren o'i boced. Gwthiodd y wifren i mewn i'r clo. Roedd yn gwrando ar bob sŵn. Ceisiodd unwaith, ddwywaith, dair gwaith. Yna llwyddodd i agor y drws ac aeth i mewn i'r ystafell dywyll.

Caeodd y drws yn ofalus a chyneuodd ei fflachlamp. Edrychodd o gwmpas yr ystafell a gweld map ar fwrdd mawr o'i flaen. Map o'r system drydan rhwng Naucelle a Bayeux oedd e, ac roedd pencadlys yr Almaenwyr wedi ei farcio gydag "X". Astudiodd John y map yn ofalus, gan geisio dysgu'r pethau pwysicaf ar ei gof.

Trodd at gwpwrdd yng nghornel y gweithdy. Roedd drws y cwpwrdd ar glo ond agorodd e â'r darn o wifren heb drafferth.

Roedd radio ar silff y cwpwrdd, ac roedd clust-ffonau a meicroffon ar silff arall.

Clywodd sŵn y tu ôl iddo. Roedd rhywun wedi agor y drws. Cyneuwyd golau'r ystafell.

Trodd y Cymro ei ben a gweld Henri Villon yn sefyll wrth y drws. Roedd y Ffrancwr yn cyfeirio dryll ato.

"Roeddwn i'n gobeithio eich bod chi wedi mynd i ffwrdd," ebe Villon yn sych. "Ydych chi ddim yn deall eich bod chi'n symud mewn cylchoedd peryglus,

Capten Edwards?”

16.

Caeodd Henri Villon y drws yn dawel a throi’r allwedd yn y clo.

“Does dim rhaid i’m chwaer wybod beth sy’n mynd ymlaen,” dywedodd wrth y Cymro.

Cododd John Edwards yn araf. Roedd e wedi gadael ei ddryll a’i gyllell yn y caban. Ar ben hyn oll, roedd e’n teimlo’n wan oherwydd y clwyf yn ei ochr.

“Fe wnes i ormod o sŵn,” meddai gan wenu’n eironig. “Mae’n ddrwg gen i. Doeddwn i ddim eisiau eich deffro chi.”

“Chlywais i ddim byd o gwbl,” atebodd y Ffrancwr. “Rydw i’n dod i’r gweithdy bob bore am dri o’r gloch.” Edrychodd ar ei wats. “Ac mae newydd droi tri o’r gloch nawr.”

“Beth am Martine?” gofynnodd John. “Ydi hi’n . . .?”

“Nac ydy. Dydw i ddim eisiau ei chysylltu hi â’m busnes personol.”

Edrychodd Villon ar ei wats unwaith eto. Roedd John yn gwybod bod ffôn yn y tŷ. Oedd Villon wedi galw’r Almaenwyr yn barod?

“Gyda llaw,” ebe’r Ffrancwr. “Mae Martine yn hoff iawn ohonoch chi. Hi rwymodd y clwyf ichi, Capten?”

Syllodd John arno.

"Dyna'r ail waith ichi fy ngalw i'n gapten," meddai. "Sut rydych chi'n gwybod mai capten ydw i?"

"Mae'n well 'da fi siarad am Martine," ebe Villon. "Pe basai'r Gestapo'n gwybod ei bod hi wedi rhoi help i chi . . ."

Cododd y gwaed i fochau John.

"Fasech chi'n barod i fradychu eich chwaer fel y bradychoch chi eich ffrind Bonnard?" gofynnodd.

"Pwy a ŵyr?" meddai Villon yn rhesymol. "Pe basech chi'n cwympo i ddwylo'r Gestapo, pa mor ddewr fasech chi?"

Atebodd John ddim. Doedd e ddim yn deall y cwestiwn. Dirgelwch oedd Henri Villon iddo fe.

"Allan o'r ffordd," gorchmynnodd y Ffrancwr yn sydyn. Roedd e'n dal i gyfeirio'r gwn at y Cymro, ac roedd rhaid i John fynd a sefyll wrth y wal. Trodd Villon fotwm ar y radio ac yna gwisgodd y clustffonau.

Cyn hir clywodd John sŵn egwan; roedd Henri Villon yn gwrando ar lais a oedd yn dod trwy'r clustffonau.

"Dau pump chwech," meddai Villon wrth i'r llais dawelu. "Atebwch. Dau pump chwech. Atebwch, os gwelwch yn dda."

Daeth y llais yn ôl, ond doedd John ddim yn gallu clywed y geiriau.

"Mae'r aderyn yn y llofft gyda fi," ebe Villon yn sydyn. "Ond mae e wedi brifo. Rydw i eisiau disgrifiad manwl . . . Ie, disgrifiad manwl."

Roedd y Ffrancwr yn canolbwyntio ar y radio ond roedd e'n dal i syllu ar y Cymro; a doedd e ddim wedi gostwng y gwn. Gwrandawodd am beth amser eto, yna gosododd y dryll i lawr wrth ei ochr.

Tynnodd y clustffonau a'u hestyn i John.

Edrychodd y Cymro arno'n syn.

"Gwisgwch nhw," meddai Henri Villon dan wenu. "Mae Llundain eisiau siarad â chi . . .!"

17.

Pan aeth John Edwards yn ôl i'r caban tua phedwar o'r gloch roedd e'n gweld y sefyllfa yn llawer cliriach nag o'r blaen.

Roedd e wedi cael gorchmynion newydd gan y Swyddfa Ryfel yn Llundain. Byddai'n rhaid iddo gysylltu â Pierre Salins erbyn canol dydd.

Ond ar hyn o bryd roedd e'n meddwl am Henri Villon. Roedd Henri yn gweithio dros y *Résistance*. Roedd e'n defnyddio ei radio i gysylltu â Llundain bron bob nos ac wedyn yn rhoi gwybodaeth i Pierre a'r lleill. Ond roedd rhaid i Henri helpu'r Almaenwyr hefyd trwy ei waith fel peiriannydd trydan. Roedd yr Almaenwyr yn ymddiried ynddo. Felly roedden nhw'n gadael llonydd iddo a doedden nhw ddim yn ei amau o gwbl.

Roedd John yn deall nawr pam nad oedd Henri wedi rhoi croeso iddo. Petai'r Almaenwyr yn gwybod

bod milwr Prydeinig ar y fferm byddent yn chwilio amdano â chrib fân. Petaent yn dod o hyd i'r radio . . . Aeth cryndod drwy'r Cymro wrth feddwl beth a allai ddigwydd i Martine.

Daeth y ferch i'r caban am naw o'r gloch. Roedd hi wedi gwneud coffi a brechdanau iddo eto.

"Dere i mewn," meddai John. Roedd e'n edrych yn ddifrifol iawn.

Gosododd Martine yr hambwrdd ar y ford.

"Beth sy'n bod?" gofynnodd hi. "Oes rhywbeth o'i le?"

"Mae'n rhaid imi fynd i ffwrdd," meddai John. "Rydw i wedi cael gorchmynion newydd o Lundain."

Aeth y ferch ato a'i gusanu'n dyner.

"Mae'n ddrwg gen i," meddai hi. "Ond rydw i'n deall."

"Gaf i ofyn ffafr, Martine?"

"Wrth gwrs."

Tynnodd e amlen o'i boced a'i rhoi iddi.

"Agor yr amlen 'ma am ddeg o'r gloch heno. Wedyn fe fydd rhaid iti wneud galwad ffôn. Wyt ti'n deall? Mae'n bwysig iawn."

Derbyniodd y ferch yr amlen.

"Fe alli di ddibynnu arna i," meddai hi. Cusanon nhw eto. "Fydda i byth yn dy anghofio di, John," meddyliodd.

Cyrhaeddodd y Cymro y Café de la Tour am chwarter i ddeuddeg ganol dydd. Doedd neb ar y teras, felly aeth yn syth i mewn i'r bar. Roedd y perchennog, Paul Causse, yn sefyll y tu ôl i'r cownter. Pan welodd e'r Cymro'n dod ato, siglodd ei ben yn araf. Deallodd John fod rhywbeth o'i le. Trodd ei ben a gweld dau filwr Almaenig yn eistedd wrth y ffenestr gan yfed cwrw.

"Dewch â photelaid o win coch imi," ebe John mewn llais uchel. "Fe fydda i ar y teras."

Pan ddaeth Paul Causse allan o'r bar dywedodd y Cymro wrtho,

"Mae'n rhaid imi siarad â Pierre. Mae'n bwysig iawn."

"Fydd Pierre ddim yn gallu gadael y siop, ond fe alla i alw Ginestet ar y ffôn."

Tra oedd e'n siarad daeth y ddau Almaenwr allan o'r bar.

"Auf wiedersehen," medden nhw wrth Paul heb edrych ar y Cymro.

"Auf wiedersehen," atebodd y Ffrancwr. "Und danke schön!"

Diflannodd y ddau filwr i lawr y stryd i gyfeiriad y bont.

"Fe fydd yn well ichi aros am Ginestet yn yr ystafell gefn," meddai Paul Causse. "Dydw i ddim eisiau i Almaenwyr a Phrydeinwyr gwrdd ar deras fy mar i!"

18.

Roedd Ginestet yn edrych yn nerfus iawn pan ddaeth e drwy ddrws ystafell gefn y caffe.

"Mae'n ddrwg gen i am echdoe," meddai'n syth. "Pan glywais i'r saethu fe redais i ffwrdd. Dydw i ddim mor ddewr â Pierre."

"Doedd dim bai arnoch chi," meddai John Edwards yn dawel. "Doedd dim gwn 'da chi. Doedd dim rhaid ichi beryglu eich bywyd am ddim."

"Ond pan glywais i fod Bonnard wedi marw, roedd cywilydd arna i. Doeddwn i . . ."

Doedd y bancwr ddim yn gallu mynd ymlaen. Roedd dagrau yn ei lygaid.

"Rydw i newydd dderbyn gorchmynion o Lundain," ebe'r Cymro yn gyflym. "Dyna pam rydw i wedi dod yma i'ch gweld chi."

"Fe fydd yn well ichi siarad â Pierre," meddai Ginestet gan dynnu paced o sigarennau o'i boced. "Fe ydy pennaeth y grŵp."

"Does dim amser," atebodd y Cymro. "Dydw i ddim yn gallu aros yn Naucelle. Fe fydd rhaid i chi roi neges iddo."

Taniodd Ginestet sigarét.

"Pa neges?"

"Fe fydd rhaid ichi gwrdd yma erbyn hanner awr wedi naw heno."

"Pwy, fi a Pierre?"

"Ie. Fe fyddwch chi'n cael galwad ffôn tua deg o'r

gloch. Fe fydd yr alwad ffôn 'na yn rhoi newyddion ichi am y glaniad."

"Y glaniad . . .!" Roedd y bancwr yn syllu ar John.

Gwenodd John arno.

"Ie," meddai. "Fe fydd glaniad heno. Ond nid ar yr arfordir, lle mae'r Almaenwyr yn ein disgwyl ni, ond ar y tir mawr. Fe fydd ein milwyr ni yn dod mewn awyrennau."

"Beth . . . Parasiwtwyr?"

"Ie, parasiwtwyr. Miloedd ohonyn nhw. Fyddan nhw ddim yn glanio yma yn Normandie ond yn y gogledd, pum milltir i'r dwyrain o St Omer."

"St Omer . . ."

"Ie. I'r dwyrain o Boulogne a Calais. Ydych chi'n deall y cynllun nawr, Ginestet? Mae e'n arbennig o dda, on'd yw e?"

Tra oedd y Ffrancwr yn meddwl, cododd John ar ei draed.

"Ond fe fydd gwaith i'w wneud yma yn Normandie hefyd," meddai. "Fe fydd rhaid inni rwystro'r Almaenwyr rhag symud eu milwyr i gyfeiriad St Omer."

"Ond fe fydd glaniad â pharasiwt yn beryglus iawn," meddai'r Ffrancwr yn sydyn.

"Na fydd," meddai John gan godi ei wydryn i'w wefusau. "Mae'r RAF a'r Americanwyr yn rheoli'r awyr uwchben Ffrainc. Fydd dim problem o gwbl."

Am un o'r gloch canodd ffôn mewn swyddfa ym

mhencadlys yr Almaenwyr ym Mharis. Cododd lifftenant ifanc y derbynnydd.

"Herr Feldmarschall . . ."

Trodd Erwin Rommel ei ben. Roedd e wedi bod yn astudio map ar wal y swyddfa.

"Mae Cyrnol Rechter ar y lein, Herr Feldmarschall. Mae e'n galw o Bayeux."

Daeth Rommel a chodi'r derbynnydd.

"Ie . . . Rommel yma. Sut rydych chi, Konrad? Oes newyddion? Beth . . .?"

Gwrandawodd y maeslywydd mewn distawrwydd. Doedd e ddim yn gallu credu ei glustiau.

"St Omer?" meddai o'r diwedd. "Ydy'r dyn 'na yn ddibynadwy, Konrad?"

Gwrandawodd am funud arall cyn rhoi'r ffôn i lawr. Roedd rhaid iddo feddwl yn gyflym. Doedd dim amser i'w wastraffu. Ond . . . Glaniad â pharasiwt ger St Omer? Twyll oedd hyn?

Edrychodd ar y map. Roedd tref St Omer yn rheoli porthladdoedd Boulogne a Calais lle roedd y Sianel yn gul iawn. Hefyd roedd ar y ffordd i Baris . . . a Brwsel! Oedd y Cynghreiriaid wedi penderfynu ymosod ar Wlad Belg yn lle Ffrainc? Roedd popeth yn bosibl. Beth bynnag, roedd rhaid iddo anfon grŵp *panzer* i St Omer ar unwaith.

Cododd e'r ffôn eto.

"Cysylltwch â phob uned symudol yn Normandie," gorchmynnodd. "Mae'n rhaid iddyn nhw ddechrau symud i'r Pas de Calais ar unwaith!"

19.

Treuliodd John Edwards weddill y prynhawn mewn coedwig rhwng Naucelle a Bayeux. Doedd y goedwig ddim yn bell o'r ffordd fawr ac roedd y Cymro'n gallu clywed cerbydau'n symud trwy'r prynhawn. Roeddynt i gyd yn gyrru i gyfeiriad y dwyrain. Cyd-ddigwyddiad oedd hyn? Efallai, ond petai cynllun Whitehall yn gweithio, byddai'r cerbydau yna'n troi i'r gogledd cyn cyrraedd Paris.

Ond roedd John yn gwybod na fyddai glaniad yn St Omer. Byddai'r glaniad yn digwydd ar arfordir Normandie, ond byddai'r *panzers* i gyd wedi gadael Normandie ar eu ffordd i St Omer a'r Pas de Calais.

Yr unig broblem nawr oedd y poen yn ei ochr. Roedd rhaid iddo orffwys, ond doedd e ddim yn gallu ymlacio am funud. Roedd e'n meddwl am y cynllun, am Martine . . . ac am y bradwr yn rhengoedd y *Résistance*.

Pan ddechreuodd hi dywyllu gadawodd John y goedwig a chychwyn i gyfeiriad pencadlys yr Almaenwyr ger Bayeux. Roedd e wedi gweld safle'r pencadlys ar fap Henri Villon. Roedd y pencadlys ar ben ffordd fach a oedd yn gadael y ffordd fawr filltir cyn Bayeux. Roedd gwifrau ffôn yn dilyn y ffordd fach. Roedd rhaid iddo dorri'r lein yna cyn deg o'r gloch.

Pan gyrhaeddodd y ffordd fach gwelodd y pyst a oedd yn cario'r gwifrau ffôn. Yn sydyn clywodd gamau'n dod i lawr y ffordd. Aeth i ymguddio y tu ôl i glawdd.

Dau filwr Almaenig oedd yno, ac roeddynt yn siarad â'i gilydd yn gyffrous.

"Mae rhywbeth yn digwydd, Hans," meddai un ohonynt. "Mae'r *panzers* i gyd wedi mynd."

Taniodd Hans sigarét, a disgleiriodd ei helm am eiliad yng ngolau'r fatsen.

"Wyt ti'n gwybod beth rydw i'n feddwl, Hans?"

"Nac ydw. Beth rwyt ti'n feddwl, Klaus?"

"Mae'r Rwsiaid wedi torri trwy ein rhengoedd ni yn y dwyrain."

Ddywedodd Klaus ddim gair am funud, yna,

"Gobeithio y bydd cadoediad cyn bo hir," meddai. "Rydw i wedi cael llond bol o'r rhyfel 'ma."

"Paid â siarad dwli; fydd Hitler byth yn derbyn cadoediad," meddai Hans. "Fe fydd cadoediad pan fydd Hitler yn ei fedd."

Diflannodd y lleisiau yn y pellter. Pan oedd popeth yn dawel eto dechreuodd John ddringo'r postyn agosaf Cyrhaeddodd ben y postyn a thynnu teclyn o'i boced. Estynnodd ei law a thorrodd y wifren. Yna teimlodd boen ofnadwy yn ei ochr; roedd y clwyf wedi ailagor ac roedd e'n colli gwaed . . .

Gwelodd Henri Villon ei chwaer yn agor amlen John.

"Beth rwyt ti'n wneud, Martine?"

"Dim byd."

Ond roedd ei brawd yn sefyll wrth ei hochr yn barod ac yn edrych ar y darn o bapur yn ei llaw. Roedd rhaid iddi ddangos y neges iddo fe; neges syml iawn.

"Annwyl Martine — Cysyllta â'r Café de la Tour a rho'r neges hon i Pierre. 'Mae'r cynllun wedi newid.'" Roedd ôl-nodyn ar waelod y papur: "Gyda llaw, Martine, rydw i'n dy garu di, John."

Cymerodd Henri Villon y papur.

"Does dim rhaid i ti gysylltu dy hunan â busnes y *Résistance*," meddai wrthi. "Fe ofala i am bopeth."

20.

Edrychodd Cyrnol Joseph Eck ar ei wats. Ugain munud i ganol nos. Roedd y cymylau wedi diflannu ac roedd e'n gallu gweld y rhengoedd o danciau o'i gwmpas yng ngolau gwan y lleuad.

Roedd Eck yn falch iawn o'i unedau *panzer*. Roedd wedi rhyfela gyda nhw yng Ngwlad Belg, yn Ffrainc, yng Ngogledd Affrica, a bellach roeddynt yn ôl yn Ffrainc.

Estynnodd at y radio. Roedd e'n gallu cysylltu â swyddogion y tanciau a swyddogion yr unedau traed hefyd. Roedd e'n edrych ymlaen at wynebu'r Prydeinwyr unwaith eto. Doedd e ddim wedi anghofio'r gurfa a gafodd yr Almaenwyr yn El Alamein. Ond nawr, ar y caeau gwastad o gwmpas St Omer, byddai'r canlyniad yn hollol wahanol.

Roedd llais yn galw ei enw ar y radio.

"Ie? Eck yma."

"Mae awyrennau'r gelyn newydd groesi'r Sianel," ebe'r llais. "Maen nhw uwchben Boulogne ac yn hedfan i gyfeiriad St Omer."

"Diolch." Roedd rhaid iddo roi rhybudd i'r unedau.

Llusgodd y munudau fel oriau, yna clywodd yr Almaenwyr sŵn yr awyrennau yn agosáu o'r gorllewin. Roedd ffurfiau tywyll yn dechrau ymddangos yn yr awyr glir, ond ar y ddaear doedd neb yn symud.

Yna gwelsant barasiwtiau'n agor uwch eu pennau fel cannoedd o flodau gwyn. Edrychodd Cyrnol Eck i fyny dan wenu. Doedd dim brys; roeddynt yn rhy uchel eto. Yn sydyn meddyliodd am Erwin Rommel.

"Yr hen gadno," meddai wrtho ei hunan. "Mae Erwin yn gwybod popeth!"

Roedd popeth yn digwydd yn ôl cynllun y Feldmarschall. Roedd y parasiwtiau'n disgyn yn araf iawn. O'r diwedd rhoddodd Eck y gorchymyn:

"Pob uned . . . Taniwch!"

Roedd John Edwards eisiau gorwedd ar y glaswellt meddal a chysgu. Roedd wedi colli llawer o waed erbyn hyn, ond roedd yn gwybod bod gwaith ganddo i'w wneud eto.

Roedd wedi torri lein ffôn y pencadlys. Petai'r bradwr eisiau cysylltu â'r pencadlys byddai'n rhaid iddo ddod y ffordd yma. Byddai'r Café de la Tour yn cau am hanner awr wedi deg. Yna byddai pob un yn mynd adref — neu'n dilyn y ffordd yma i'r pencadlys.

Clywodd sŵn. Roedd rhywun yn dod ar hyd y

ffordd ar feic. Roedd y dyn ar frys ac roedd ei anadl yn ei ddwrn. Doedd dim golau ar y beic.

"Halt! Wohin gehen Sie?" gwaeddodd y Cymro yn Almaeneg, yna yn Ffrangeg:

"Stop! Ble rydych chi'n mynd?"

Stopiodd y dyn y beic.

"I'ch pencadlys chi," atebodd e. "Mae'n rhaid imi siarad â Chyrnol Rechter. Mae'r Prydeinwyr wedi ein twyllo ni. Mae'n rhaid imi siarad â'r Cyrnol ar unwaith!"

Roedd John yn nabod llais y dyn yn iawn. Trodd ei fflachlamp ar wyneb y bradwr.

"Dydw i ddim yn eich credu chi," meddai'n llym. "Rydw i'n meddwl mai *Résistant* ydych chi."

"Nage, nage, nid *Résistant* ydw i," erfyniodd y bradwr. "Edrychwch! Mae nodlyfr 'da fi sy'n enwi'r *Résistants* lleol i gyd."

"Dewch â fe yma," gorchmynnodd Edwards. Roedd e wedi tynnu ei gyllell. Ond oedd e'n ddigon cryf i'w defnyddio hi?

Daeth y bradwr ato fe, a'r llyfr yn ei law.

"Ydych chi ddim yn fy nabod i?" gofynnodd. "Fi sy'n . . ."

Pesychodd y bradwr wrth i'r gyllell fynd trwy ei galon.

"Ydw, rydw i'n dy nabod di," atebodd y Cymro gan sychu'r gyllell ar y glaswellt wrth ochr y corff . . .

21.

Tra oedd gynnau'r tanciau a'r milwyr traed yn saethu ar y parasiwtiau, roedd Cyrnol Joseph Eck yn anfon neges i'r maeslywydd, Erwin Rommel.

"Mae'r goresgyniad wedi dechrau," ebe'r neges. "Ond peidiwch â phoeni am sector St Omer, Herr Feldmarschall. Mae'r gelyn yn marw yn yr awyr cyn cyrraedd y ddaear."

Byddai parasiwtwyr yn glanio mewn lleoedd eraill, wrth gwrs; ond roedd y cyrnol yn teimlo'n hyderus iawn. Roedd y rhybudd wedi dod mewn pryd, ac roedd milwyr a thanciau wedi rhuthro i'r Pas de Calais trwy'r prynhawn a'r nos. Byddai llongau'r gelyn yn agosáu at Calais a Boulogne erbyn hyn, ond roedd y milwyr Almaenig yn y ddwy dref yn disgwyl amdanynt. Roedd y fantais gyda'r Almaenwyr, a byddai'r ymosodwyr yn cael sioc enbyd.

Yn sydyn disgleiriodd un o'r parasiwtiau gyda golau gwyn clir. Ond doedd e ddim wedi ffrwydro; roedd e'n dal i ddisgleirio. Yna gwelodd Eck barasiwt arall yn disgleirio yn yr un modd.

"Fflachiau!" meddai llais wrth ochr y cyrnol. "Mae'r parasiwtiau yn cario fflachiau — nid milwyr!"

Roedd y gynnau'n saethu trwy'r amser, felly doedd yr Almaenwyr ddim wedi clywed sŵn newydd. Roedd ail don o awyrennau yn hedfan uwch eu pennau. Ffrwydrodd bom yn y cae agosaf, yna bom arall. Cyn hir roedd tanciau'n llosgi ac roedd y milwyr traed yn ffoi am eu bywydau. Roedd peilotiaid yr awyrennau'n gallu gweld popeth ar y ddaear, diolch i'r fflachiau.

Cododd Cyrnol Eck y meicroffon a dechrau gweiddi:

"Defnyddiwch yr ac-ac . . . Defnyddiwch yr ac-ac!"

Roedd e'n gwastraffu ei anadl. Roedd e wedi colli'r cysylltiad radio.

Doedd John ddim yn gallu cerdded rhagor; roedd wedi colli gormod o waed ac roedd ei goesau'n wan. Roedd e'n ceisio dilyn y ffordd fawr i gyfeiriad Naucelle, ond roedd yn siŵr na allai gyrraedd y pentref. Roedd e eisiau gorffwys, a gorwedd ar y glaswellt meddal am weddill ei fywyd.

Clywodd sŵn modur. Roedd fan yn dod ar hyd y ffordd. Ni cheisiodd y Cymro ymguddio; roedd e'n teimlo'n rhy wan.

Aeth y fan heibio a gwelodd y swastica du ar ei hochr yn glir. Am eiliad meddyliodd nad oeddynt wedi ei weld. Ond yna stopiodd y fan yn sydyn. Agorwyd y drws a daeth rhywun allan.

Tynnodd John ei ddryll a'i gyfeirio at y ffigur oedd yn dod ato.

"John!"

Cadwodd ei fys ar y triger.

"John . . . Paid â saethu!"

Gostyngodd John y gwn, a throdd y ferch at ei brawd.

"Henri," meddai. "Mae'n mynd i gwympo. Helpa

fi i'w roi e yn y fan . . ."

22.

Tra oedd Henri Villon yn gyrru'r fan yn ôl i'r fferm roedd Martine yn eistedd yn y cefn yn gofalu am John.

"Bydd yr Almaenwyr yn rhoi benthyg fan i Henri bob tro y bydd toriad yn y cyflenwad trydan," esboniodd y ferch wrth y Cymro. "Roeddwn i'n amau mai ti oedd wedi achosi'r toriad 'na, felly fe benderfynais ddod gyda Henri i chwilio amdanat ti."

Siaradodd John am y tro cyntaf ac roedd ei lais yn wan.

"Felly fe gyrhaeddodd y neges y caffe," meddai.

"Do," meddai Henri. "Siaradais i ddim â Pierre. Roedd e yn yr ystafell gefn. Fe roddais i'r neges i berchennog y bar, Paul Causse."

"Mae e wedi marw," meddai'r Cymro.

Trodd Henri Villon ei ben.

"Pwy?" gofynnodd e.

"Paul Causse. Fe laddais i e ar ei ffordd i bencadlys yr Almaenwyr."

"Paul Causse . . . bradwr?" meddai Martine.

"Ie. Er nad oedd e'n aelod o'r grŵp," meddai John, "rhaid ei fod yn gallu clustfeinio ar bopeth oedd yn mynd ymlaen yn yr ystafell gefn. Roedd e ar ei ffordd i'r pencadlys â nodlyfr sy'n enwi'r *Résistants* lleol i gyd; Pierre, Ginestet, Bonnard . . ."

“A minnau?” gofynnodd Henri.

“Nage, dim y cyfenw; dim ond ‘Henri’.”

Gwenodd Henri Villon. Roedd e’n teimlo’n hapus iawn.

“Doeddwn i ddim yn arfer mynd i’r Café de la Tour,” meddai. “A doedd y grŵp byth yn defnyddio fy enw llawn achos bod y radio gen i yn fy ngweithdy. Nawr rydw i’n siŵr y bydd y ffermdy yn lle diogel i ti, ac i Pierre a Ginestet hefyd.”

Clywsant sŵn rhyfedd yn y pellter.

“Taranau?” gofynnodd Martine.

“Nage, nid taranau,” meddai ei brawd dan chwerthin. “Gynnau ydyn nhw. Mae llongau Prydain ac America wedi cyrraedd arfordir Normandie.”

Ddywedodd Martine Villon ddim gair. Roedd John yn cysgu yn ei breichiau.

Gostyngodd Henri ffenestr y fan.

“Gwranda, Martine,” meddai’n gyffrous. “Mae’r Prydeinwyr ar eu ffordd.”

Gwenodd Martine ond siglodd ei phen.

“Nac ydyn,” meddyliodd hi. “Maen nhw yma’n barod . . .”

GEIRFA DDETHOL
SELECT VOCABULARY

acen *accent*
achosi *to cause*
adeilad *building*
adeiladydd *builder*
adrodd *to tell*
aelod (-au) *member*
agos *near*
agosáu *to approach*
anghofio *to forget;* anghofia i byth *I shall never forget*
ailagor *to re-open*
Yr Almaen *Germany*
Almaeneg *German (language)*
Almaenwr (-wyr) *German*
allwedd *key*
amau *to suspect*
amddiffyn *to defend*
amlen *envelope*
amlwg *obvious*
anadl *breath*
anadlu *to breathe*
anffodus *unfortunate*
ansefydlog *unstable*
ansicr *uncertain*
arbenigwr *specialist*
arbennig *special, particular*
arf (-au) *weapon*
arfer *to use*
arfordir *coast*
arllwys *to pour*
arwain *to lead*
arwydd *sign*
asen *rib*
atal *to prevent*
awgrymu *to suggest*
awyddus *eager*
awyren (-nau) *aeroplane*
awyrennwr *aviator*

balch *glad, proud*
barn *opinion*
bedd *grave*
bellach *by now*
benthyg *loan*
beth bynnag *anyway*
beudy *cowshed*
blaen *front;* o flaen *in front of;* aeth yn ei flaen *went on;* o'r blaen *before;* y dydd o'r blaen *the other day*
blinedig, wedi blino *tired*
blwch *box*
boch (-au) *cheek*
bodlon *satisfied*
bol *belly;* llond bol *bellyful*
bord *table*
botwm *button*
bradwr *traitor*
bradychu *to betray*
brawddeg *sentence*
brecwast *breakfast*
brechdan (-au) *sandwich*
breuddwydio *to dream*
brifo *to hurt, be hurt*
brwydr *battle*
brys *haste, hurry;* ar frys *in a hurry*
bwa a saeth *bow and arrow*
bwriadu *to intend*
byddin *army*
byth *ever, never;* mwy byth *even more*

cadno *fox*
cadoediad *armistice*
Caer-gaint *Canterbury*
Caerwrangon *Worcester*
cam (-au) *step*
campfa *gymnasium*
canlyniad *result*
canllath *hundred yards*
canolbwyntio *to concentrate*
carreg *stone;* carreg bedd *gravestone*

cau *to shut;* cau yn glep *to slam*
cawod *shower*
cefn *back;* cefn gwlad *countryside*
cefnder *cousin*
cerbyd (-au) *vehicle*
cigydd *butcher*
claddu *to bury*
clawdd *roadside wall*
clên *agreeable*
clo *lock;* ar glo *locked*
cloi *to lock*
clustfeinio *to eavesdrop*
clustffon (-au) *earphone*
clwyd *gate*
clwyf *wound*
clymu *to tie*
cnawd *flesh*
cochi *to become red*
coedwig *wood*
cofnodion *records*
coginio *to cook*
colofn (-au) *column, pillar*
corff *body*
crafu *to scratch*
craig (creigiau) *rock*
cref *gweler* cryf
crib *comb;* crib mân *fine comb*
croen *skin*
croesffordd *crossroad*
cryf *strong*
cryndod *trembling*
crynu *to tremble*
cuddio *to hide*
cul *narrow*
curfa *thrashing*
curo *to knock*
cwmwl (cymylau) *cloud*
cwrw *beer*
cwsg *sleep*
cwsmer (-iaid) *customer*
cwympo *to fall*
cwyno *to complain*
cyd-ddigwyddiad *coincidence*
cydweithiwr *colleague*
cyfamser *meantime*
cyfan *entire*
cyfeillgar *friendly*
cyfeiriad *direction*
cyfeirio *to point, direct*
cyfenw *surname*
cyflawni *to fulfil*
cyfle *opportunity*
cyflenwad *supply*
cyfrifol *responsible*
cyfrinach *secret*
cyffrous *excited, exciting*
Cynghreiriaid *Allies*
cyhoeddi *to announce*
cylch (-oedd) *circle*
cymaint *so many*
cymysgu *to mix*
cynllun (-iau) *plan*
cynnar *early*
cynnau *to light*
cynnig *to offer*
cyrion *outskirts*
cyrnol *colonel*
cysgod *shadow*
cysylltiad *connection*
cysylltu *to connect, make contact, involve*
cywilydd *shame*

chwarddodd (*from* chwerthin) *laughed*
chwys *sweat*
chwythu *to blow*

daear *ground*
dagrau (*un* deigryn) *tears*
dal (i) *to continue to*
darlithydd *lecturer*
derbynnydd *receiver*
dere *come*
dewis *choice*
dewr *brave*
di-baid *incessant*
dibynadwy *reliable*
dibynnu *to depend*
diflannu *to disappear*

difrifol *serious*
digalon *downhearted*
digio *to anger*
diogel *safe*
dirgelwch *mystery*
disglair *brilliant*
disgleirio *to shine*
disgrifiad *description*
disgwyl *to expect*
disgyn *to descend*
distaw *silent*
distawrwydd *silence*
diweddar *recent*
dryll *gun*
drysu *to confuse, be stupid*
dwli *nonsense*
dwrn *fist;* roedd ei anadl yn ei ddwrn *he was out of breath*
dwyrain *east*
dyrchafu *to promote*

eang *wide*
ebe *said*
echdoe *day before yesterday*
effaith *effect*
effeithiol *effective*
egluro *to clarify*
egwan *weak*
eisoes *already*
enbyd *terrible*
enwi *to name*
erbyn *by (time);* erbyn hyn *by now*
erfyn (ar) *to implore*
esbonio *to explain*
estyn *to pass, reach out, stretch out*
eto *again, still, yet;* eto i gyd *all the same*

fflach (-iau) *flash, flare*
fflachlamp *flashlamp*
ffodus *fortunate*
ffoi *to flee*
Ffrangeg *French (language)*
Ffrainc *France*
Ffrancwr *Frenchman*
ffrwydrad *explosion*
ffrwydro *to blow up, explode*
ffrwydron *explosives*
ffurf (-iau) *form*
ffynnon *well*
ffyrnig *furious*

gadael *to leave;* gadawsant *they left*
gafael (yn) *to grasp, hold (onto)*
galwad *call*
gelyn *enemy*
gên *chin*
(ei) gilydd *(each) other*
glaniad *landing*
glaswellt *grass*
gofalu (am) *to look after*
gofalus *careful*
gofidus *anxious*
golau (goleuadau) *light*
golygus *handsome*
gollwng *to drop*
gorau *best;* gorau glas *level best*
gorchfygiad *defeat*
gorchfygwr *conqueror*
gorchudd *cover*
gorchymyn (gorchmynion) *order*
goresgyn *to invade*
goresgyniad *invasion*
gorllewin *west*
gostwng *to lower*
gradd (-au) *degree*
gris (-iau) *stair*
gwaeddodd *shouted*
gwaethaf *worst;* er gwaethaf *despite*
gwagio *to empty*
gwaith *work; time;* weithiau *sometimes*
gwan *weak*
gwartheg *cattle*
gwastad *flat*
gwastraffu *to waste*
gwefus (-au) *lip*
gweithdy *workroom*
gwersyll *camp*
gwifren (gwifrau) *wire*

Gwlad Belg *Belgium*
gŵn nos *nightgown*
gwnïo *to sew*
gwregys *belt*
gwreiddiol *original*
gwres *temperature*
gwybodaeth *information*
gwydraid *glass (of)*
gwydryn *glass*
Gwyddeleg *Irish (language)*
gwyddost *you know*
gwylio *to watch*
gwyllt *wild*
gŵyr *knows*
gydol *whole (time)*
gyferbyn (â) *opposite*
gynt *previous*
gyrru *to drive, send*

haearn *iron*
hambwrdd *tray*
hances *handkerchief*
hanner nos *midnight*
heini *fit*
Henffordd *Hereford*
hongian *to hang*
hollol; yn hollol *entirely*
o hyd *still*
hyderus *confident*
hyfforddiant *training*

ieithydd (-ion) *linguist*
igam-ogamu *to zig-zag*

lan llofft *upstairs*
lifftenant *lieutenant*
lolfa *parlour*

llaw (dwylo) *hand;* gyda llaw *by the way*
llawddryll *revolver, pistol*
llawr *floor*
yn lle *instead of;* o'i le *wrong*
lledr *leather*
lleiaf *least;* o leiaf *at least*
lleill *others*
lleol *local*
llethr *slope*
lleuad *moon*
lliain *cloth*
llonydd *peace;* gadael llonydd iddo *to leave him in peace*
llusgo *to drag*
llwybr *path*
llwyddo *to succeed*

maes *field;* maes awyr *airfield*
maeslywydd *field-marshal*
mantais *advantage*
manwl *detailed*
manylion *details*
marwolaeth *death*
matsen (matsys) *match*
meddai *said*
meddal *soft*
meddwl *mind; to think*
meddyg *doctor*
mentro *to venture*
milwr (milwyr) *soldier*
milwrol *military*
modur *motor*
modd *way*
mwg *smoke*

neges *message*
neidr *snake*
nenfwd *ceiling*
niwl *fog*
nodlyfr *notebook*
nôl *to fetch*

ochneidio *to sigh*
oedi *to linger*
offer *tools*
ôl; ar ôl *after; left;* y tu ôl i *behind;* yn ôl *back, ago, according to*
olew *oil*
ôl-nodyn *postscript*
olwyn (-ion) *wheel*
oll *all*

osgoi *to avoid*

paratoi *to prepare*
pe *if*
peidio (â) *to stop*
peiriannydd *engineer;* peiriannydd trydan *electrical engineer*
peiriant (peiriannau) *machine*
pell *far*
pellter *distance*
pen *head; end; top;* ar ben *on top of;* ar ei ben ei hun *by himself*
pencadlys *headquarters*
penderfynu *to decide*
pen-lin (penliniau) *knee*
pennaeth *chief*
perchennog *owner*
personol *personal*
peryglu *to endanger*
peryglus *dangerous*
pesychu *to cough*
petai pethau'n mynd yn ddrwg *if things went badly*
petruso *to hesitate*
plith; yn ein plith *among us*
poen *pain*
poeni *to worry*
poenus *painful*
polyn (polion) *post*
porthladd (-oedd) *port*
postyn (pyst) *post*
prifysgol *university*
pryd *time;* ar hyn o bryd *at the moment;* o bryd i'w gilydd *from time to time*
Prydeinig *British*
prydferth *beautiful*

rhaw *spade*
rhegi *to swear*
rheng (-oedd) *rank*
rheilffordd *railway*
rheoli *to control*
rheswm *reason*
rhesymol *reasonable*
rhuthro *to rush*
rhwymo *to bind*
rhwymyn *bandage*
rhwystro (rhag) *to prevent (from)*
rhybudd *warning*
rhydlyd *rusty*
Rhydychen *Oxford*
rhyddhau *to free*
rhyfel *war*

sach *sack*
saethu *to shoot*
safle *position*
safon *standard*
sbel *a short time*
sefyllfa *situation*
seren (sêr) *star*
sigarét (sigarennau) *cigarette*
siglo *to shake*
sodlau (*un* sawdl) *heel*
swil *shy*
sŵn *sound, noise*
swyddfa *office;* Swyddfa Ryfel *War Office*
swyddog (-ion) *officer*
swyddogol *official*
sychu *to dry, to wipe*
sylwi (ar) *to observe, notice*
syllu (ar) *to stare (at)*
syml *simple*
symudiad *movement*
symudol *mobile*
syn *surprised*
syniad *idea*
syth *straight; straightaway*

taclus *tidy*
tagu *to choke*
taith *journey*
tanio *to fire, to light, to ignite*
taranau *thunder*
tawelu *to become silent, to silence*
tawelwch *silence*
teclyn *tool*
tir *land;* tir mawr *mainland*

toriad *break*
trafod *to discuss*
trafferth (-ion) *trouble*
trannoeth *the following day*
trefniadau *arrangements*
treulio *to spend (time)*
tro *turn; walk; time*
trydan *electricity, electric*
twll (tyllau) *hole*
twyll *deceit, trick*
twyllo *to deceive, to trick*
tybio *to suppose*
tyner *tender*
tynn *tense*
tywyllu *to get dark*
tywyllwch *darkness*

uchel *high; loud*
uned (-au) *unit*
unig *only*
union; yr union foment honno *that very moment*
uwchben *above;* uwch eu pennau *above them*

wrth lwc *luckily*
wylo *to cry*
wynebu *to face*

ychwanegu *to add*
ymarfer corff *physical training*
ymdrech *effort*
ymddangos *to appear*
ymddiried (yn) *to trust*
ymguddio *to hide*
ymhell *far*
ymhen *in (time)*
ymlacio *to relax*
ymosodiad *attack*
ymosodwr (-wyr) *attacker*
ymuno (â) *to join*
ysbryd (-ion) *ghost*
ysgol *school; ladder;* ysgol raffau *rope ladder*
ysmygu *to smoke*